MW00799908

Traducción al español: Julia Vinent
Traducción al inglés: Esther Sarfatti

Ronda General Mitre 95, 08022 Barcelona
e-mail: corimbo@corimbo.es
1ª edición en esta colección: octubre 2003

Título de la edición original: «Grosse colère»
Impreso en Francia por Aubin Imprimeur, Poitiers

Mireille d'Allancé

What a Tantrum!
Vaya rabieta

Barcelona

Roberto has had a very bad day.

Roberto ha pasado un día muy malo.

"Take off your tennis shoes," says his father.

«Quítate las zapatillas de tenis», dice su papá.

"There they go!" says Roberto.

«¡Ahí van!», dice Roberto.

Tonight there's spinach for dinner.
"Are you kidding?" says Roberto.

Hoy para cenar hay espinacas.
«¿Estás de broma?», dice Roberto.

"Go up to your room," says his father.
"You'll come out when you calm down."
"I don't think so," responds Roberto.

«Sube a tu habitación», dice su papá.
«Bajarás cuando te hayas calmado.»
«No creo», responde Roberto.

And upstairs, in his room, Roberto feels a terrible Thing that rises…

Y arriba, en su habitación, Roberto nota una Cosa terrible que sube…

… rises, rises, until…

… sube, sube, hasta que…

RRRRRRRHAA,
it suddenly comes out.

RRRRRRRHAA,
sale de golpe.

"Hi," says the Thing. "What would you like to do?"
"Ww... whatever you want," says Roberto.

«Hola», le dice la Cosa. «¿Qué quieres hacer?»
«Tt... todo lo que quieras», dice Roberto.

"All right," says the Thing. "We'll start here."

«Bueno», dice la Cosa. «Comenzaremos por aquí.»

Whoosh! The bedspread flies off the bed with the pillow.

¡Y hop! La colcha sale volando con la almohada.

Crack! The bedside table. Boom! The lamp.

¡Crac! La mesita de noche. ¡Pum! La lámpara.

The bookshelf jumps up with all the books: Whomp!

El estante con todos los libros salta: ¡Wauh!

And then the Thing heads towards the toy box.
"Wait, not that!" says Roberto.

Y después la Cosa se acerca a la caja de los juguetes.
«¡Espera, esto no!», dice Roberto.

"Do you hear me? Stop!"

«¿Me oyes? ¡Detente!»

"Dummy! My favorite truck!"

«¡Tonto! ¡Mi camión preferido!»

"Look what that brute did to you!
Don't worry, I'll fix you. And you, get out of here, you beast!"

«¡Qué te ha hecho este bruto!
No te preocupes, ahora te arreglo. ¡Y tú, vete, animal!»

"Oh, my little lamp!
Wait, I'll put you back together.

«Oh, mi lamparita.
Espera, que te pongo bien.

And my pillow,
all twisted.

Y mi almohada
toda liada.

And my favorite book!
He wrinkled you all up,
poor thing.

¡Y mi libro preferido!
Te ha arrugado todo,
pobrecito.

There,
that's better."

Bueno,
ahora está mejor.»

"Oh, there you are! Get over here, I'm going to catch you!"

«¡Ah, estás aquí! ¡Ven que te atrape!»

"Straight into the box. And don't even move!"

«Vamos, a la caja. ¡Y ni te muevas!»

"Daddy, is there any dessert left?"

«Papá, ¿queda postre?»